HUGO
et les rois

Mon cahier 3
J'écris les mots courants sans fautes

Anne-Marie Gaignard

Illustrations de François Saint Remy

~R leRobert

Sommaire

le réveil

Des gommettes pour faire les exercices

les fruits

les pierres précieuses

Le gant S

ESSENTIEL
La méthode des parents à détacher

La méthode des parents

Mise en pages : Alinéa
Correction : Catherine Lainé
Fabrication : Olivier Le Gall
ISBN : 978-2-32-100570-4
Tous droits de reproduction, de traduction et d'adaptation réservés pour tous pays.
© 2014, Dictionnaires LE ROBERT, 25 avenue Pierre-de-Coubertin, 75013 Paris

Chers parents, chers enfants,

Si vous en êtes au cahier 3, c'est que les deux premiers vous ont plu. Vous, parents, vous avez pris le temps de voir comment votre enfant fonctionne et vous l'avez mis sur la bonne voie. Vous, les enfants, vous avancez en étant de plus en plus rassurés et donc de plus en plus forts. Les automatismes que vous avez mis en place avec les cahiers 1 et 2 vous permettront d'être vite dans le moule du cahier 3.

Ceci dit, il est aussi possible que vous n'ayez pas encore eu entre les mains ni le cahier 1 ni le cahier 2. Attention ! Chaque cahier a pour vocation de tirer l'enfant vers le haut et de lui donner une véritable autonomie. Il s'agit bien d'**une méthode** qui fonctionne par étapes. Ces étapes sont essentielles à la compréhension de la grammaire et de l'orthographe et elles doivent être abordées dans l'ordre. C'est l'unique façon d'avancer, **en sécurité, cahier après cahier**.

Chers parents, si vous ne tenez pas compte des numéros des cahiers, vous risquez de vous mettre, vous et votre enfant, en difficulté :
– dans le cahier 1, l'enfant est en « reconnaissance » ;
– dans le cahier 2, l'enfant monte en puissance et il est plus apte à comprendre le montage d'une phrase et à y réaliser les accords souhaités ;
– dans ce cahier 3, il découvre de nouvelles choses comme les mots féminins qui s'écrivent « –é » ou « –ée ». Il est à l'aise pour résoudre ce qu'on lui demande, uniquement parce qu'il est passé par les deux précédents cahiers.

Les enfants, je compte sur vous : si vous vous sentez en difficulté, **stoppez tout et commencez par le cahier 1 puis le 2. Vous reprendrez le cahier 3 plus tard.**
Vous trouverez d'ailleurs dans ce cahier 3 des rappels qui vous y feront penser. Donc tout ira pour le mieux, j'en suis certaine.
Oui, chers enfants, les choses vont vous paraître claires et vous allez très vite reprendre confiance en vous.

Merci infiniment.

Anne-Marie Gaignard

Je joue avec la Roue des mots

Je vois

▶ **Comment se terminent les mots courants ?**

Lorsque tu écris, je suis sûre que tu t'es déjà demandé :
« Hormi..., il faut un **s** ou pas ? »
Grâce à la **Roue des mots** et son code-couleur, tu retrouveras désormais en un tour de roue la terminaison des mots d'usage qui posent tant de problèmes aux enfants... et aux adultes !

Comment procéder ?

• Les mots sont classés par ordre alphabétique. Il suffit de choisir le mot qui te pose souci. Par exemple : **hormi...**

• Ensuite, tourne la roue centrale (celle qui comporte toutes les lettres finales) et tu fais correspondre la couleur du mot à celle de la lettre finale. Tu trouves la lettre finale **s** (couleur orange) que tu as alignée avec **hormi** (couleur orange).

• Maintenant, tu es sûr(e) que **hormis** ne se sépare jamais de son **s**.

Pour la **Roue des mots** collège/lycée, le genre (masculin, féminin) et le nombre (singulier, pluriel) ont été ajoutés pour que ce soit plus clair.

→ Va chercher ta **Roue des mots** à la fin de ton cahier (il y en a une pour le primaire et une pour le collège/lycée).

→ Lis les explications de montage données à la fin de ton cahier.

→ Fabrique la **Roue des mots** qui correspond à la classe dans laquelle tu es.

→ Tu es prêt(e) ! Alors choisis un mot. Demande à ton parent de te l'épeler. Vérifie avec ta **Roue des mots** que la lettre finale est la bonne.

Je fais tout seul

Exercice 1

➜ **Fais tourner la Roue des mots et trouve la lettre de fin des mots suivants.**

Primaire

1. beaucou.......

2. mieu.......

3. moin.......

4. dedan.......

5. encor.......

6. pendan.......

7. maintenan.......

Collège/lycée

1. parmi.......

2. duran.......

3. auparavan.......

4. hormi.......

5. d'ailleur.......

6. tan....... qu'il y aura...

7. exprè.......

matériel
Roue
des mots

Je vois

► **Comment écrire les grands nombres** million **et** milliard **?**

Lorsque tu dois écrire des **nombres** comme **deux millions, dix milliards, des milliards de milliards**, tu peux imaginer dans ta tête tous les zéros qu'il faut.

Pour écrire **dix milliards**, il faut **dix zéros** (10 000 000 000), cela mérite bien un **s** à la fin !

Donc c'est tout simple, **pour les grands nombres, il faut mettre un s partout**, sauf pour un milliard ou un million que tu laisses au singulier.

Il faut évidemment écrire **milliard** avec un **d** car tu sais comme moi que sur cette planète, il y a des milliardaires.

► **Le cas tout simple :** mille

Mille ne prend jamais de **s**.
On écrit : mille, deux mille, dix mille...

➜ **Maintenant à toi de compléter les phrases suivantes.**

1. En 2050, nous serons neuf milliard....... d'humains sur la Terre.

2. Les dinosaures ont disparu il y a plus de soixante million....... d'années.

3. Ils ont parcouru deux mille....... kilomètres.

Je fais « à quatre mains »

Exercice 2

➜ À vous de jouer ! Ensemble, complétez en écrivant correctement les **nombres** et faites les bons accords quand c'est nécessaire. Les parents commencent pour montrer l'exemple !

1. Il y a plus de dix million....... d'années.

2. Elle a un million....... d'euros sur son compte en banque.

3. Une momie de plus de trois mille....... an....... a été retrouvée.

4. Mille....... million....... de mille....... sabord....... ! disait le capitaine.

5. J'adorerais relire l'histoire des mille....... et une nuit........

Je vois

> ▶ **Comment écrire le nombre cent ?**

Il faut se méfier de **cent** lorsqu'il sort dans les phrases accompagné de chiffres qui sont soit devant lui, soit derrière lui. Tu vas voir, c'est tout simple ; les dessins vont t'aider à comprendre la règle.

• Quand **cent** est **tout seul**, il s'écrit avec un **t** au bout car on peut dire : Cette femme est cen☐tenaire.

Cent voitures.

→ **Si cent sort avec un chiffre devant lui (200, 300, etc.) :**

Regarde le dessin. Hugo a enfilé un gant avec la lettre **s**.

Deux prend la main de **cent**. Il n'y a rien derrière donc tu vois bien le **s** sur le gant.

Il faut écrire :

Ils étaient deux cents au concert.

→ **Si cent sort avec un chiffre après lui :**

Regarde le dessin. Hugo a gardé son gant avec la lettre **s**.

Cent prend la main de **six**. On ne voit plus le **s** sur le gant.

Donc il faut écrire :

Cent six coureurs ont pris le départ.

Tu vois, la règle est toute simple.
Quand un chiffre donne la main à **cent**, tout dépend alors de sa place :
– soit il se place devant et **cent** prend un **s** ;
– soit il se place derrière et **cent** ne prend pas de **s** ;
– soit il y a un chiffre devant et derrière **cent**, alors **cent** ne prend pas de **s**.

▶ **Comment écrire le nombre** vingt **?**

• **Vingt** s'écrit avec un **t** au bout puisque l'on peut dire :
une ving⬚aine.

Les enfants ont mangé vingt bonbons.

Le nombre **vingt** ne va nous embêter qu'une seule fois,
lorsque le chiffre **quatre** se met devant lui. Dans ce cas,
vingt prend un **s** : quatre-vingts.

Quatre-vingts personnes ont vu le film.

• Et dès que **quatre-vingts** est suivi d'un chiffre, le **s** disparaît !
Regarde le dessin.

Quatre prend la main de **vingt** qui prend la main de **trois**
et regarde on ne voit plus le **s** sur le gant de **vingt**.

Il faut donc écrire :

Quatre-vingt-trois pêcheurs ont participé
au concours ce week-end.

Je fais « à quatre mains »

Exercice 3

➔ À vous de jouer ! Ensemble, placez la gommette  après **cent** ou **vingt** quand il faut ajouter un **s** pour les écrire correctement. Les parents commencent pour montrer l'exemple !

1. Il y a bien cinq cent……   mètres de clôture à acheter.

2. Deux cent……   trois invités étaient présents à la soirée d'inauguration du nouveau théâtre.

3. Mes derniers achats de Noël m'ont coûté quatre-vingt……   euros.

4. Il est déjà vingt……   heures.

matériel
gommette

réponses page 32

Je fais tout seul

COMME TU L'AS APPRIS
DANS LE CAHIER 2,
PENSE À REMONTER DANS
LA PHRASE POUR RÉUSSIR
TOUS LES ACCORDS.

Exercice 4

➜ Voici 4 phrases, à toi de faire tous les accords qu'il faut.
➜ Pour les nombres cent et vingt, pense à coller ta gommette
  (s) quand tu dois ajouter un s à la fin.

1. Nous allons prépar....... les quatre-vingt.......

   an....... de mamie.

2. Merci de rédige....... un chèque d'un montant

   de deux cent.......   euros.

3. Plus de quatre-vingt.......   -dix personne.......

   étai....... massé....... devant les portes du magasin.

4. L'exposition a été visité....... par plus de deux

   cent.......   cinquante mille....... visiteurs.

**matériel
gommette**

Exercice 5

➜ Écris en toutes lettres 3 280 000.

....

....

Bonus

→ Tu peux t'amuser, comme dans les dessins, à te dessiner un **s** dans la main et à jouer à écrire des centaines avec d'autres enfants qui, tour à tour, seront appelés à venir te donner la main. Bien entendu, tes parents seront de la partie.

Bon jeu !

J'accorde les couleurs

Je vois

ON S'ARRÊTE SUR LE MOT VERT ET ON SE DEMANDE : QUI EST-CE QUI SONT VERT... ? RÉPONSE : LES VOLETS. ON DIT UN VOLET, DONC MASCULIN, ET ICI LES VOLETS, DONC PLURIEL, IL FAUT UN S À VERTS.

▶ **Quand les couleurs s'accordent-elles ?**

En général, **les couleurs** s'accordent.

Regarde cette phrase :

Les volets verts.

▶ **Quand les couleurs ne s'accordent-elles pas ?**

• **Quand une couleur rappelle un** fruit  **ou une** pierre précieuse , n'accorde pas !

Les chemises orange. Des jupes turquoise.

Attention, quand il s'agit réellement **du fruit ou de la pierre précieuse**, le mot s'accorde : Trois oranges. Deux turquoises.

• **Quand deux couleurs sortent ensemble.**

Les **couleurs composées** ne s'accordent jamais. Comme elles marchent ensemble et se donnent la main, il n'y a pas de place pour le **s**. N'oublie pas le trait d'union qui les attache.

Elle a les yeux bleu-vert.

• **Quand une couleur sort avec un adjectif.**

L'**adjectif**, mot un peu barbare, sert à nous indiquer **quelque chose en plus**. Alors laisse-le tranquille, n'accorde pas et ne mets pas de trait d'union.

Par exemple, l'adjectif clair.

Les costumes bleu clair sont tristes.

Je fais « à quatre mains »

Exercice 6

→ **Ensemble, complétez les phrases en faisant les bons accords.**
Pensez à coller les gommettes au-dessus des couleurs qui rappellent
des fruits  **ou des pierres précieuses** .

1. Toutes les écharpes marron....... et orange.......

   ont été retirées des rayons.

2. Ses yeux noisette....... m'ont fait craquer.

3. Je vais mettre des rideaux jaune....... et bleu........

4. Après avoir traversé des océans bleu.......-vert.......

   ou émeraude......., je me dis que la Terre est

   belle !

matériel
gommette

réponses page 32

 # Je fais tout seul

Exercice 7

➔ **À toi de jouer maintenant. Complète les phrases en faisant tous les accords qu'il faut.**

➔ **Colle les gommettes** **ou** **aux bons endroits.**

1. Les rideaux prune....... que j'ai achetés
vont bien dans mon salon.

2. Dommage, j'ai reçu en cadeau deux pantalon.......

violet........

COMME TU L'AS APPRIS DANS LE CAHIER 2, PENSE À REMONTER DANS LA PHRASE POUR RÉUSSIR TOUS LES ACCORDS.

3. Les étoffes turquoise......., tendu....... sur
la scène du théâtre, ravivent les décors.

4. Les vaches noir....... et blanc....... regardent

pass....... les trains.

matériel gommette

⁺ Bonus

Exercice 8

→ **On va s'entraîner encore un peu. Maintenant, les couleurs n'ont plus de secret pour toi et les accords ne te font plus peur. Alors, fais-toi confiance, colle tes gommettes et avance doucement.**

ATTENTION, DANS LA PHRASE N° 1, ON PARLE BIEN **DU FRUIT** PAS DE LA COULEUR.

1. Toutes les orange....... du panier sont prête....... à être mangé........

2. Elle a planté....... ses yeux saphir....... dans les miens.

3. Mes gant....... marron....... sont bons à laver.

4. L'armée utilise toujours des vêtements kaki....... Les uniformes bleu....... foncé....... sont plutôt pour la gendarmerie.

5. Elle possède deux émeraude....... .

matériel gommette

réponses 📖 page 32

J'écris les mots féminins en -é/-ée

Je vois

▶ **Comment savoir si un mot féminin s'écrit −é ou −ée ?**

Tu utilises souvent ces mots féminins qui se terminent en **é**. Pourtant, quand tu les croises, il faut t'arrêter un peu pour réfléchir.

Regarde ces deux phrases :

La cheminée fume.

La bonté de cette femme est incroyable.

Tu as parfaitement raison de te dire :
La cheminée, c'est féminin, on peut dire : **une cheminée**.
La bonté, c'est féminin, on peut dire : **une bonté**.

Pourquoi alors, l'un doit prendre un **e** et pas l'autre ? Bonne question. Plutôt que d'avoir des listes et des listes de mots à apprendre par cœur, je vais te donner des astuces simples.

▶ **Les mots féminins en −ée : ceux que l'on peut toucher**

Lorsque tu peux toucher ce que représente le mot, lorsque tu sais que **c'est réel**, alors c'est comme si, **au bout de ton doigt, tu avais un** e que tu poses délicatement à la fin du mot.

La boué... → C'est un objet réel et certain, tu peux la toucher, donc pose un e : **la bouée**.

La charité... → Ce n'est pas un objet, tu ne peux pas la toucher, donc ne mets pas de e : **la charité**.

L'arrivé... → Tu peux attraper la ligne d'arrivée, elle est réelle et certaine, donc pose un e : **l'arrivée**.

Tu me diras que **la pensée**, on ne peut pas la toucher, eh bien si !
car c'est aussi une petite fleur que tu peux toucher !

Et la **saleté** ? Sache que tu ne peux pas poser tes mains sur **la saleté**.
C'est vrai que tu pourrais la toucher lorsqu'elle est ramassée par
le balai, mais surtout n'y pose pas tes mains et elle s'écrira toujours
comme ça : **la saleté**, avec son **é** au bout.

▶ **Les mots féminins en –ée : les mots liés au temps**

Lorsqu'il y a **une notion de temps**, les mots féminins s'écrivent **–ée**.
Pour nous en souvenir, nous allons voir que nous avons besoin
de notre **mini-réveil** 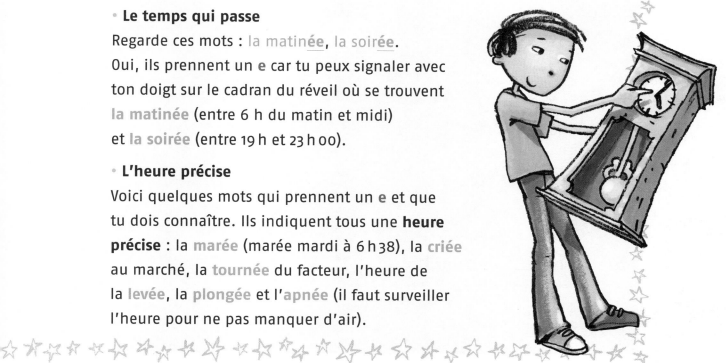 qui nous aidera à nous souvenir
du temps.

• **Le temps qui passe**

Regarde ces mots : la matin**ée**, la soir**ée**.
Oui, ils prennent un **e** car tu peux signaler avec
ton doigt sur le cadran du réveil où se trouvent
la matinée (entre 6 h du matin et midi)
et **la soirée** (entre 19 h et 23 h 00).

• **L'heure précise**

Voici quelques mots qui prennent un **e** et que
tu dois connaître. Ils indiquent tous une **heure
précise** : la **marée** (marée mardi à 6 h 38), la **criée**
au marché, la **tournée** du facteur, l'heure de
la **levée**, la **plongée** et l'**apnée** (il faut surveiller
l'heure pour ne pas manquer d'air).

Je fais « à quatre mains »

Exercice 9

➜ **Dans cet exercice, c'est toi qui vas dire si on peut ou non ajouter un e en expliquant pourquoi. Lis le mot à haute voix et explique :**

– je peux **le toucher**. Dans ce cas c'est réel et certain, donc j'ajoute un **e** ;

– c'est une **notion de temps**. Je place une gommette  et je pose un **e** ;

– Je **ne peux pas le toucher**. C'est une notion générale, donc je file sans ajouter de **e**.

➜ **Ton parent complète l'orthographe du mot quand c'est nécessaire.**

1. La fumé.......

2. La poigné.......

3. La vérité.......

4. La convivialité.......

5. La pâté....... du chien

6. La becqué.......

7. La soiré.......

8. La duré.......

9. L'arrivé.......

10. L'anné.......

11. La saleté.......

12. La liberté.......

matériel gommette

Je fais tout seul

Exercice 10

➜ **On y va ! Place ta gommette**  **dès que tu vois qu'il s'agit d'une notion de temps et complète les phrases. Aide-toi aussi de tout ce que tu as appris dans le cahier 2 pour habiller les princes et les mots qui sortent avec le roi Être.**

1. Pendant la veillé......., nous avons chanté.

2. Mon chien a dévoré le reste de la puré........

3. Toute la matiné......., je n'ai attendu qu'une chose : la pause de midi.

4. Pour se battre, ils sortent chacun une épé........

5. J'adore regard......., le matin, la rosé.......

qui s'est dépos....... sur les fleurs.

6. Une surprise est prévu....... en fin de soiré........

matériel
gommette

Exercice 11

➜ Comme sur le cadran d'une pendule, nous allons placer les 7 mots féminins en -ée que tu dois connaître. En partant de 1 h donc par la droite et en revenant vers la gauche avec un stop obligatoire à 6 h.

La **marée**, la **criée**, la **tournée**, la **levée**, la **plongée**, l'**apnée**. Et pour le 7e mot, choisis celui que tu veux apprendre.

➜ Aujourd'hui, place sur le cadran les 4 premiers mots. Demain, revois les 4 premiers et place les 3 derniers. Plusieurs fois dans la semaine récite les 4 premiers, respire et récite les 3 derniers.

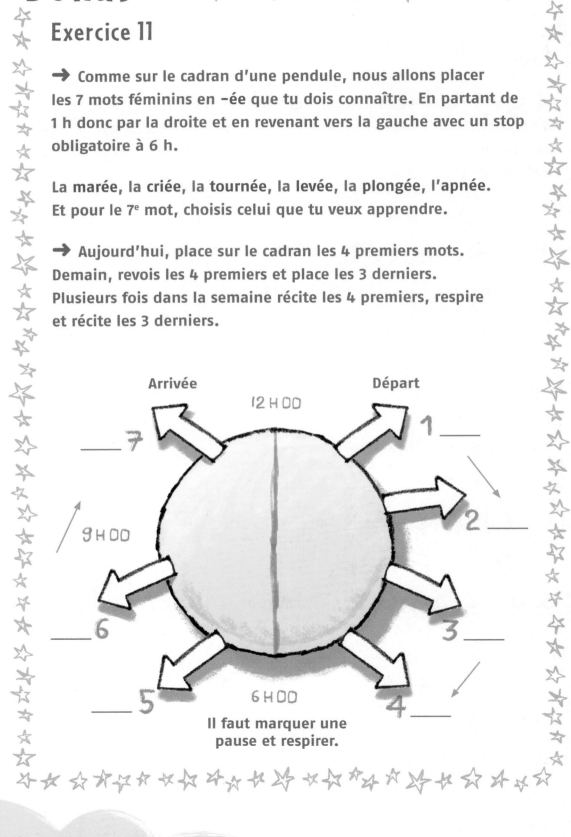

Arrivée   12 H 00   Départ

9 H 00

6 H 00

Il faut marquer une pause et respirer.

Jeu de l'escargot

→ Pour cet exercice à faire en famille, découpez plein de petits e, choisissez un pion par joueur et deux dés.

→ Écrivez les 14 mots de la liste ci-dessous sur la coquille de l'escargot à découper dans le matériel à la fin. N'hésitez pas à en trouver d'autres pour compléter la coquille.

→ Chaque joueur lance les dés et avance sur l'escargot. Quand il arrive sur la case que lui désignent les dés, il doit dire si le mot écrit prend un e ou non. Si un e est nécessaire, il l'ajoute sinon, il ne fait rien.

1. La dicté.......

2. La flambé.......

3. La monté.......

4. La fierté.......

5. La porté.......

6. La célébrité.......

7. La fumé.......

8. La saleté.......

9. La santé.......

10. L'arrivé.......

11. La volonté.......

12. La journé.......

13. La nuité.......

14. La nécessité.......

matériel
Jeu de
l'escargot

J'écris **tous** ou **tout** ?

Je vois

Tu as dû le remarquer, on rencontre parfois **tous** avec s, et parfois **tout** avec un t. Je vais te donner quelques techniques pour savoir comment écrire **tous** ou **tout**.

▶ **Quand faut-il écrire tous avec un s ?**

• Regarde cette phrase, puis lis-la à voix haute.

Partons tous à la plage.

Ce **tous** que tu entends en lisant à voix haute ne te posera aucun problème, puisque tu prononces le **s**.

• Regarde cette phrase, puis lis-la à voix haute.

Je vais tous les mercredis faire du sport.

Quand on lit cette phrase à voix haute, on n'entend pas le **s** de **tous**. Comment savoir s'il faut mettre un **s** ou pas ?

Je vais te donner deux indications importantes :
– tu pourrais très bien compter le nombre de mercredis où tu vas faire du sport dans l'année. S'il y en a **2 et +**, c'est du pluriel, donc tu mets un **s** ;

   – ou mieux encore : quand tu lis la phrase en marche arrière, tu trouves **les** et tu lis **tous les**, donc le pluriel est évident.

Je vais tous les mercredis faire du sport.

La méthode
des parents

Introduction

Chers parents,

Nous arrivons à la troisième et dernière partie de notre parcours « grammatical » et « familial », toujours en compagnie de la fée et de notre héros, Hugo !

J'espère que les deux premiers cahiers vous ont permis, à vous parents, d'identifier les difficultés de votre enfant et surtout d'avoir trouvé les mots pour lui redonner confiance et le faire rentrer à nouveau en apprentissage. J'imagine aussi que vous avez pu faire un certain nombre de constats qui vous permettent aujourd'hui d'aborder sereinement cette nouvelle partie. Votre enfant, quant à lui, va mieux. Il sait qu'il peut ! Il comprend, il avance, il cherche. Il a conscience de ses progrès et je pense qu'il aime énormément vous avoir à ses côtés. Il sait maintenant que tout ce qui lui paraissait parfois très compliqué a été simplifié et il se sent rassuré. Les nouveaux liens que vous avez tissés ne peuvent pas disparaître. C'est tout votre amour de parent vers l'enfant qui est sublimé. N'oubliez pas que vous pouvez remettre à tout moment votre casquette d'aidant et lui d'apprenant ou enfiler celle de parent et lui d'enfant. Ainsi, les marques sont posées et tout le monde s'y retrouve.

Alors, mettons-nous en route et découvrons le monde des chiffres et des couleurs... Parcourons ces quelques mètres, avec les mots féminins en -ée qu'il nous reste à apprivoiser... Jouons sur la planète des TOUS ou TOUT et des LEUR ou LEURS.

Je vous réserve aussi un atelier que j'ai appelé sac à mots dans lequel, tout au long de l'année, vous pourrez, comme votre enfant d'ailleurs, vous apercevoir que les souvenirs qui sont passés par le « j'entends, je vois, je fais » sont toujours là.

Passez du bon temps ensemble.

Merci de votre confiance.

Anne-Marie Gaignard

Atelier 2

J'accorde les nombres

L'accord des nombres n'est pas très compliqué mais il faut connaître les règles. Grâce à un peu de manipulations et de jeux, les nombres n'auront plus de secret pour votre enfant.

Petit rappel

– **Mille** ne prend jamais de **s**.
– **Cent** prend un **s** dans les centaines de 200 jusqu'à 900 (**deux cents**, **neuf cents**) quand elles sont rondes. Il perd son **s** quand ce n'est pas le cas (**deux cent un**).
– **Vingt** prend un **s** quand on écrit 80 (**quatre-vingts**) mais le **s** disparaît dès que nous appelons un chiffre derrière lui : 81 (**quatre-vingt-un**).
– Jamais de **s** aux chiffres (sauf **trois**, puisqu'on peut dire **troisième**).

L'orthographe d'usage de un à dix

Si nécessaire, vous pouvez revoir avec votre enfant l'orthographe des chiffres de **un** à **dix**, en procédant de la façon suivante :
Un, rien de plus.
Deux, **x** parce que l'on peut dire **deuxième**.
Trois, **s** car l'on peut dire **troisième**.
Quatre, surtout rien.
Cinq, surtout rien.
Six, avec un **x** parce que l'on peut dire **sixième**.
Sept, surtout rien.
Huit, surtout rien.
Neuf, surtout rien.
Dix, avec un **x** parce que l'on peut dire **dixième**.

Bonus : jouer en famille

Je vous propose ce bonus pour jouer en famille avec les **nombres** !

1) Un peu de fabrication

Fabriquez avec les enfants :
– des étiquettes allant du chiffre 2 au chiffre 9 ;
– une étiquette 100 ;
– un gant avec un **s** noté à l'intérieur.

2) Un peu d'imagination

– Inventez des **nombres** : 403, 800, 902...
– Écrivez les nombres en chiffres sur un papier que vous pliez en deux.
– Déposez tous les nombres ainsi inventés dans une boîte.

3) On joue

– Un joueur tire un papier, lit le nombre et dit si cent prend un **s** ou non.
– Pour vérifier, le joueur attrape l'étiquette 100 et enfile le gant S. Il appelle les autres chiffres (les autres joueurs) et ensemble ils composent le nombre tiré en se donnant la main.

N'oubliez pas non plus le **nombre** 80 qui, lorsqu'il est rond, laisse apparaître son **s**.

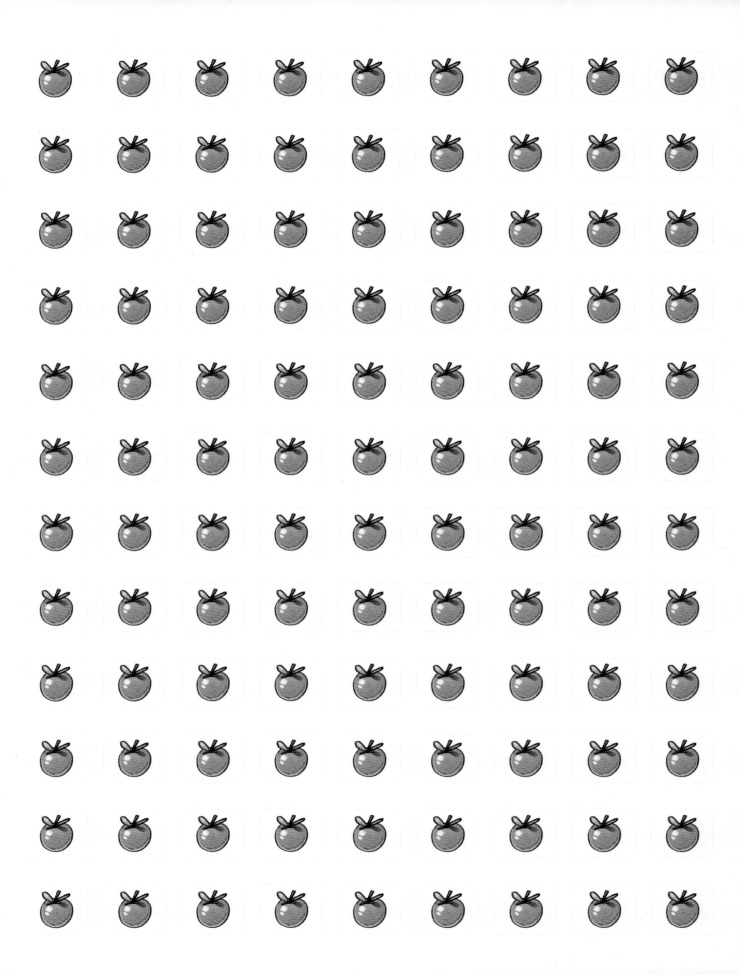

Atelier 3

J'accorde les couleurs

Petit rappel

Les **couleurs** s'accordent généralement, sauf celles qui rappellent un **fruit** ou une **pierre précieuse**.

N'oubliez pas que les **couleurs composées**, **couleur + couleur**, ne s'accordent jamais. Il suffit de se souvenir que deux **couleurs** qui marchent ensemble se tiennent par un trait d'union.

Pour les **couleurs composées**, **couleur + adjectif** : je laisse sans trait d'union et sans accord.

Je fais « à quatre mains »

Le mieux, pour les phrases proposées dans cet exercice, est de s'arrêter sur la **couleur** en se demandant :

1. Dans cette phrase, s'agit-il de la couleur ou du fruit ? S'il s'agit de la couleur qui rappelle un fruit, collez la gommette 🍅 .

2. Dans cette phrase, s'agit-il de la couleur ou de la pierre précieuse ? S'il s'agit de la couleur qui rappelle une pierre précieuse, collez la gommette 🪨 .

Bonus

Quand votre enfant est à l'aise avec l'accord des **couleurs**, vous pouvez lui proposer de compléter, avec vous, ces phrases tirées d'une dictée du brevet des collèges qui montrent bien que si nous ne sommes pas au fait des accords des **couleurs**, nous pouvons être mis face à de sérieuses difficultés.

Les pêcheurs ont sorti....
de leur filet des poissons
multicolore.... merveilleu.....
Parfois ils étai.... orange....
d'autre.... bleu.... pêché....
dans les océan....
émeraude.... de la planète
bleu.....

Voilà comment elles doivent s'écrire :
Les pêcheurs ont sorti de leur filet des poissons multicolores merveilleux. Parfois, ils étaient orange, d'autres bleus, pêchés dans les océans émeraude de la planète bleue.

J'écris les mots féminins en -é/-ée

Bonus

• Mémoriser les mots féminins en –ée

Pour que votre enfant mémorise les mots qu'il faut connaître dans cet atelier, je vous propose d'utiliser la technique du soleil que vous avez déjà découverte dans le cahier 1.

Notre cerveau adore tourner en rond dans le sens des aiguilles d'une montre : cela multiplie par trois les chances de retenir. De plus nous retenons mieux lorsque nous apprenons par groupe de 7 mots.

Cet exercice va donc permettre à votre enfant de mémoriser les 6 mots féminins en –ée pour lesquels il n'y a pas de moyen mnémotechnique : la marée, la criée, la tournée (du facteur), (l'heure de) la levée, la plongée, l'apnée. Et d'en apprendre un 7e qu'il choisira. Cela lui montrera qu'il est pleinement acteur de son apprentissage.

Comment procéder ?

– Allez chercher le soleil dans le matériel en fin de cahier.

– Le premier soir, faites placer par votre enfant les 4 premiers mots sur le soleil en commençant par la droite. Demandez-lui de les répéter en chantant, en sautant...

– Le deuxième soir, il revoie les 4 premiers mots et s'il les a mémorisés, il place les 3 derniers.

– Plusieurs fois dans la semaine, il répète les 4 premiers mots, il fait une courte pause (il respire, il boit un verre d'eau...) et il répète les 3 derniers.

Le jeu de l'escargot

Pour ce jeu de l'escargot, n'hésitez pas à trouver d'autres mots féminins en –ée mais laissez le vocabulaire technique et/ou médical de côté pour l'instant, votre enfant n'en a pas besoin.

– Vous pouvez suivre les consignes proposées page 23.

– Vous pouvez dire oralement si le mot prend un e ou non à la fin, puis l'écrire sur l'escargot.

– Vous pouvez aussi lancer un dé et l'enfant écrit le mot. S'il ne fait pas de fautes, il avance son pion, sinon, il reste où il est.

Vous pouvez évidemment pimenter le jeu en inventant un barème : + 3 points pour un mot juste, –1 point pour un mot faux. Le fait de gagner va motiver votre enfant.

Atelier

Sac à mots

Je vous propose cet atelier qui vient compléter l'ensemble de la méthode. J'insiste sur le fait que l'apprentissage de la lecture peut avoir été soit très compliqué pour votre enfant et pour vous, et il est donc synonyme de mauvais souvenirs, soit plutôt réussi mais vous sentez que des difficultés sont encore présentes :

– votre enfant lit bien mais écrit avec trop d'hésitations pour son âge ;

– votre enfant lit en ânonnant et s'arrête quasiment sur tous les mots. Pour lui permettre d'augmenter sa vitesse de lecture et de remonter le capital de mots qu'il devrait connaître à son âge, je vais vous donner quelques conseils pratiques pour qu'il s'améliore. Je vous rappelle que le but de ce cahier est d'obtenir de l'enfant son consentement pour se mettre au travail « Autrement » avec un A majuscule et enfin être libre d'utiliser les mots. Il faut donc que vous débutiez ces exercices avec son accord.

Première étape : dessiner les mots

À chaque fois que vous repérez un mot dont l'orthographe pose un problème à votre enfant, notez-le. Chaque jour, préparez une feuille de brouillon quadrillée en huit et choisissez 5 à 7 mots que vous faites écrire à votre enfant.

Comment procéder ?
Je vous décris le procédé pour le 1er mot qu'il faudra répéter pour tous les mots du jour.
1. Il ferme les yeux et essaie de faire apparaître le 1er mot dans sa tête.
2. Il essaie de le photographier, comme si consciemment, il voulait ne plus l'oublier et le garder dans ses souvenirs.
3. Il écrit le mot dans le vide avec son doigt. Il écrit donc dans l'air de la pièce, laissez-le marcher s'il en a besoin, ou tourner, etc.
4. Enfin, dans la 1re case de la feuille de brouillon quadrillée, il écrit le 1er mot en s'arrêtant sur les difficultés. Ensemble, vous allez chercher le moyen de retenir la bonne orthographe. Il va vous falloir redoubler d'ingéniosité.

Plus l'enfant trouvera tout seul le moyen, même farfelu, de se souvenir de l'orthographe d'un mot, plus ce sera facile pour lui de se la rappeler. Passer par l'imagination puis par la main est un moyen très efficace de mémoriser l'orthographe d'un mot.

Exemple : le mot cygne.

Deux difficultés peuvent être repérées par votre enfant : le c et le y.

L'enfant cherche le moyen de retenir le mot avec un c et un y mais vous l'accompagnez. Deux imaginations valent mieux qu'une !

Il peut se dire que le c est le «bec ouvert» du cygne et que le y est son «long cou», et le tour est joué.

Sachez que ce genre de technique reste dans la mémoire à long terme, celle qui dure longtemps. Désormais, à chaque fois qu'il entendra le mot cygne, il s'en souviendra.

Faites le test vous-même, avec un mot qui vous arrête à chaque fois que vous en avez besoin, et vous verrez, ça marche.

Moi, récemment, j'ai hésité en écrivant démarrer, **un r** ou **deux r** ? Je me suis dit : «Il faut que je me rappelle que démarrer prend **2 r**». Alors j'ai trouvé le moyen de m'en souvenir : au premier r, je mets la clé dans la serrure de la portière et au deuxième r, je tourne la clé de contact. Voilà... à chacun son moyen !

Les moyens mnémotechniques ont été mis de côté à l'école. Or, vous comme moi, nous savons retrouver le nombre de jours d'un mois en touchant les bosses de nos mains : janvier 31 jours car la bosse est haute, février NON car je suis dans le creux, mars oui 31, avril 30, etc., ou se rappeler que la stalac**tite** («**tite**») **t**ombe et la stalag**mite** («**mite**») **m**onte.

Vous allez me dire : «Mais s'il faut faire cela à tous les mots qui posent problème !» Eh bien je vous réponds : «Oui» car son apprentissage de base a été raté. Ce n'est aucunement de sa faute. Il faut que vous le compreniez.

En clair, **il a appris à lire tout seul.** Ce n'est pas une preuve d'intelligence, cela ?

Deuxième étape : le jeu du sac à mots

Quand vous avez collecté un paquet de mots, glissez-les dans un sac transparent que j'appelle le **sac à mots**. Puis chaque fin de semaine, vous jouez.

L'enfant glisse sa main dans le sac en prenant soin de mélanger les mots. Il en tire 5 et s'il les écrit sans fautes sur une feuille ou un cahier prévu à cet effet, les 5 mots passent dans le **sac à bon** ou **sac à bonbons** ou **sac à cinéma**, sac à ce que vous voulez y mettre en récompense. Oui, cela s'appelle **marcher à la carotte**... Allez-y, vous verrez le résultat. L'enfant devra le faire à chaque fois qu'un mot lui pose problème. Ainsi, dans son année scolaire, il remontera forcément le capital «mots» nécessaire pour son âge. C'est très important de passer par là, sinon, l'autre solution est de reprendre une méthode complète d'apprentissage de la lecture en syllabique et gestuelle, mais je pense que ce sera fastidieux pour tout le monde. (Voici les références d'un livre qui peut l'aider : *Bien lire et aimer lire*, tome 1. Méthode phonétique et gestuelle Borel-Maisonny. Cycle des apprentissages fondamentaux.) Libre à vous...

Variante

Vous pouvez faire la même chose avec les sons qui semblent non acquis.

Par exemple, le son eil de soleil.

Il prend le **e** comme le centre du soleil et rajoute des **rayons** : un **i** et un **l**.

▶ **Quand faut-il écrire tout avec un t ?**

• Dis-toi que tu peux remplacer **tout** par **complètement**, **entièrement** :

Elle a tout compris.
= Elle a **complètement** compris.

• Autre technique : dis-toi que ça + ça + ça = un **TOUT**.

Les fleurs, les arbustes, la pelouse,
ça + ça + ça
tout me rappelle mon jardin.

Ici, **tout** signifie bien : les fleurs + les arbustes + la pelouse

• **Tout** adore sortir avec le petit mot **de**.

Tu trouveras soit : **tout de** ou **de tout**.

Si tu n'entends pas le **s** et que tu ne vois pas le petit mot **les**, laisse-le avec son **t**.

De tout jeunes enfants sont inscrits
à la garderie du quartier.

Je fais « à quatre mains »

Exercice 12

➜ **Maintenant, ton parent et toi allez compléter ces phrases avec la bonne terminaison de tout/tous.**

➜ **Tu expliques quelle terminaison tu choisis :**

– J'écris **tout** avec un **t** car je peux le remplacer par **complètement**.

– J'écris **tout** avec un **t** car il est accompagné de **de**.

– J'écris **tous** avec un **s** car j'entends le **s**.

– J'écris **tous** avec un **s** car, en remontant dans la phrase, je trouve **les**.

➜ **Ton parent écrit la bonne terminaison.**

1. Pour me rendre au travail, je dois prendre tou....... les jours deux bus.

2. Les coureurs sont rentrés tou....... trempés de la course à pied.

3. Tou....... sortirent tranquillement de la salle de cinéma.

4. Mes parents disaient qu'à leur époque, tou....... était bien plus simple.

5. Dans la cour de récréation, je vois de tou....... petits enfants qui sont sûrement en maternelle.

Je fais tout seul

Exercice 13

➜ À toi de compléter les phrases avec la bonne terminaison de **tout/tous**. N'oublie pas d'habiller les princes et de faire tous les accords nécessaires.

1. Le maître avait pourtant tou....... expliqué.

2. Tou....... les skieurs rêvent d'aller plus vite.

3. J'ai tou....... compris.

4. Il a tou....... fini dans les temps.

5. J'ai quatre enfants, ils sont tou....... au collège.

6. En ville, de tou....... jeunes étudiants ont manifesté........

7. Je mise tou....... sur mon cheval favori........

8. Cette femme est tou....... de noir vêtu........

9. Tou....... les jours, je m'entraîne sur mon vélo et je croise tou....... les enfants qui part....... à l'école.

Alors, tu vois, elle n'est pas si compliquée l'histoire de **tout** ou **tous**. Comme d'habitude, tu vas doucement, tu réfléchis et tu agis.

Bravo !

J'écris **leur** ou **leurs** ?

Je vois

> ▸ **1ʳᵉ technique : je cache avec mon doigt**

Quand, dans une phrase, tu peux cacher avec ton doigt **leur** et que tu comprends toujours le sens de la phrase, alors tu ne mets pas de **s**.

→ Regarde cette phrase :

Ils leur avaient dit de se taire.

Tu fais disparaître **leur** et tu lis : **Ils avaient dit de se taire.**

> ▸ **2ᵉ technique : je peux compter**

Si tu peux compter plusieurs objets ou personnes, cela signifie qu'il y a du pluriel, donc tu écris **leurs** avec un **s**.

→ Regarde cette phrase :

J'ai quatre filles, ce sont leurs chaussures.

Tu peux compter les chaussures, il y en a 2 pour chaque fille.

> ▸ **3ᵉ technique : j'ajoute le mot chaque**

Il te suffit de mettre **chaque** au début de la phrase et, automatique-ment, **chaque** t'enverra la bonne réponse, qui sera :

– soit **son** = singulier donc **pas de s à leur**
– soit **sa** = singulier donc **pas de s à leur**
  – soit **ses** = pluriel donc **s à leurs** (= 2 et +)

→ Regarde bien cette phrase.

Tous les chiens aiment leur maître.

Tu mets **chaque** au début de la phrase : **Chaque chien aime son maître**, donc **leur** sans s.

Je fais « à quatre mains »

Exercice 14

→ À vous de jouer en famille pour compléter ces phrases.

1. Lorsque les gendarmes m'interrogeront, je leur....... dirai tout.

2. Comment leur....... faire comprendre que l'affaire est définitivement classée ?

3. De tout ce que j'ai entendu, ce sont leur....... parole....... qui ont blessé....... Virginie.

4. Tous les skieurs retirent leur....... bonnet....... et leur....... gant....... en bas des pistes.

5. Tous les élèves étudient sérieusement leur....... leçon....... de biologie pour le contrôle de demain.

6. Ils sont tou....... parti....... avec leur....... vélo.

réponses page 33

Je fais tout seul

Exercice 15

➜ **Maintenant, complète les phrases suivantes avec leur/leurs.**
– Si tu peux supprimer **leur** de la phrase sans changer le sens, pas de **s**.
– Si tu peux compter les objets, mets un **s** à **leur**.
– Si tu hésites, ajoute **chaque** au début de la phrase.
➜ **N'oublie pas d'habiller les princes et de faire tous les accords.**

Prends ton temps, je sais que tu vas y arriver.

1. Les hommes ont mis leur....... chapeau.......
sur leur....... tête....... pour la cérémonie.

2. Ouvrez-leur....... la porte, s'il vous plaît.

3. Les ouvriers retirent leur....... casque.......
et leur....... gant....... en fin de journée.

4. Je leur....... donne....... des nouvelles

tou....... les jours.

5. J'ai deux filles, elles ont rangé.......

leur....... botte....... dans le placard.

Exercice 16

→ **Tu en veux encore ? Pas de problème.**
Complète les phrases avec leur/leurs et n'oublie pas de faire
tous les accords nécessaires.

1. Les enfants brossent leur....... dent.......
   avant de se coucher et font leur.......
   toilette en chantant.

2. Ce serait bien de leur....... offrir quelques
   fleurs pour le dîner.

3. Demain, il leur....... expliquera la solution
   qu'il a trouvé....... à son problème.

4. Il paraîtrait que ce sont de tou.......
   jeunes participants aux jeux d'hiver
   qui ont remporté....... une victoire pour
   leur....... équipe régionale.

5. Ma cousine dit que tou....... est plus beau
   dans sa classe.

Réponses

Exercice 1, p. 5

Primaire
1. beaucoup
2. mieux
3. moins
4. dedans
5. encore
6. pendant
7. maintenant

Collège/lycée
1. parmi
2. durant
3. auparavant
4. hormis
5. d'ailleurs
6. tant qu'il y aura…
7. exprès

Exemples, p. 6

1. En 2050, nous serons neuf milliards d'humains sur la Terre.
2. Les dinosaures ont disparu il y a plus de soixante millions d'années.
3. Ils ont parcouru deux mille kilomètres.

Exercice 2, p. 7

1. Il y a plus de dix millions d'années.
2. Elle a un million d'euros sur son compte en banque.
3. Une momie de plus de trois mille ans a été retrouvée.
4. Mille millions de mille sabords ! disait le capitaine.
5. J'adorerais relire l'histoire des mille et une nuits.

Exercice 3, p. 11

1. Il y a bien cinq cents mètres de clôture à acheter.
2. Deux cent trois invités étaient présents à la soirée d'inauguration du nouveau théâtre.
3. Mes derniers achats de Noël m'ont coûté quatre-vingts euros.
4. Il est déjà vingt heures.

Exercice 4, p. 12

1. Nous allons préparer les quatre-vingts ans de mamie.
2. Merci de rédiger un chèque d'un montant de deux cents euros.
3. Plus de quatre-vingt-dix personnes étaient massées devant les portes du magasin.
4. L'exposition a été visitée par plus de deux cent cinquante mille visiteurs.

Exercice 5, p. 12

⭐ Trois millions deux cent quatre-vingt mille

Exercice 6, p. 15

1. Toutes les écharpes marron et orange ont été retirées des rayons.

2. Ses yeux noisette m'ont fait craquer.

3. Je vais mettre des rideaux jaunes et bleus.

4. Après avoir traversé des océans bleu-vert, ou émeraude, je me dis que la Terre est belle !

Exercice 7, p. 16

1. Les rideaux prune que j'ai achetés vont bien dans mon salon.

2. Dommage, j'ai reçu en cadeau deux pantalons violets.

3. Les étoffes turquoise, tendues sur la scène du théâtre, ravivent les décors.

4. Les vaches noires et blanches regardent passer les trains.

Exercice 8, p. 17

1. Toutes les oranges du panier sont prêtes à être mangées.

2. Elle a planté ses yeux saphir dans les miens.

3. Mes gants marron sont bons à laver.

4. L'armée utilise toujours des vêtements kaki. Les uniformes bleu foncé sont plutôt pour la gendarmerie.

5. Elle possède deux émeraudes.

Exercice 9, p. 20

1. La fumée. Je peux la toucher, je pose un « e ».
2. La poignée. Je peux la toucher, je pose un « e ».
3. La vérité. Je ne peux pas la toucher, je file.
4. La convivialité. Je ne peux pas la toucher, je file.
5. La pâtée du chien. Je peux la toucher, je pose un « e ».
6. La becquée. Je peux la toucher, je pose un « e ».
7. La soirée 🎇. C'est une notion de temps, je pose un « e ».

8. La durée . C'est une notion de temps, je pose un « e ».

9. L'arrivée. Je peux la toucher, je pose un « e ».

10. L'année . C'est une notion de temps, je pose un « e ».

11. La saleté. Je n'y mets jamais les mains ! Je file.

12. La liberté. Je ne peux pas la toucher, je file.

Exercice 10, p. 21

1. Pendant la veillée, nous avons chanté.

2. Mon chien a dévoré le reste de la purée.

3. Toute la matinée, je n'ai attendu qu'une chose : la pause de midi.

4. Pour se battre, ils sortent chacun une épée.

5. J'adore regarder, le matin, la rosée qui s'est déposée sur les fleurs.

6. Une surprise est prévue en fin de soirée.

Jeu de l'escargot, p. 23

1. La dictée

2. La flambée

3. La montée

4. La fierté

5. La portée

6. La célébrité

7. La fumée

8. La saleté

9. La santé

10. L'arrivée

11. La volonté

12. La journée

13. La nuitée

14. La nécessité

Exercice 12, p. 26

1. Pour me rendre au travail, je dois prendre tous les jours deux bus.

2. Les coureurs sont rentrés tout trempés de la course à pied.

3. Tous sortirent tranquillement de la salle de cinéma.

4. Mes parents disaient qu'à leur époque, tout était bien plus simple.

5. Dans la cour de récréation, je vois de tout petits enfants qui sont sûrement en maternelle.

Exercice 13, p. 27

1. Le maître avait pourtant tout expliqué.

2. Tous les skieurs rêvent d'aller plus vite.

3. J'ai tout compris.

4. Il a tout fini dans les temps.

5. J'ai quatre enfants, ils sont tous au collège.

6. En ville, de tout jeunes étudiants ont manifesté.

7. Je mise tout sur mon cheval favori.

8. Cette femme est tout de noir vêtue.

9. Tous les jours, je m'entraîne sur mon vélo et je croise tous les enfants qui partent à l'école.

Exercice 14, p. 29

1. Lorsque les gendarmes m'interrogeront, je leur dirai tout.

2. Comment leur faire comprendre que l'affaire est définitivement classée ?

3. De tout ce que j'ai entendu, ce sont leurs paroles qui ont blessé Virginie.

4. Tous les skieurs retirent leur bonnet et leurs gants en bas des pistes.

5. Tous les élèves étudient sérieusement leur leçon/ leurs leçons de biologie pour le contrôle de demain.

6. Ils sont tous partis avec leur vélo.

Exercice 15, p. 30

1. Les hommes ont mis leur chapeau sur leur tête pour la cérémonie.

2. Ouvrez-leur la porte, s'il vous plaît.

3. Les ouvriers retirent leur casque et leurs gants en fin de journée.

4. Je leur donne des nouvelles tous les jours.

5. J'ai deux filles, elles ont rangé leurs bottes dans le placard.

Exercice 16, p. 31

1. Les enfants brossent leurs dents avant d'aller se coucher et font leur toilette en chantant.

2. Ce serait bien de leur offrir quelques fleurs pour le dîner.

3. Demain, il leur expliquera la solution qu'il a trouvée à son problème.

4. Il paraîtrait que ce sont de tout jeunes participants aux jeux d'hiver qui ont remporté une victoire pour leur équipe régionale.

5. Ma cousine dit que tout est plus beau dans sa classe.

Le soleil

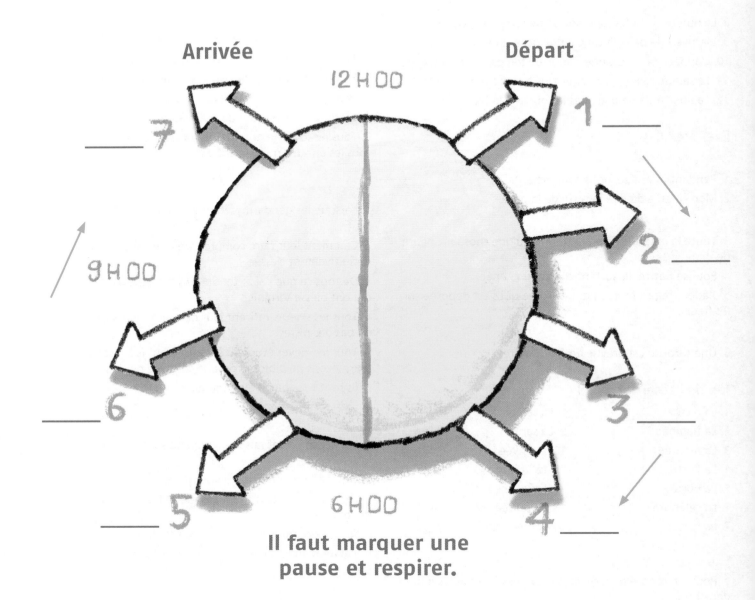

Arrivée

Départ

12 H 00

9 H 00

6 H 00

7

1 ___

2 ___

3 ___

4 ___

5 ___

6 ___

**Il faut marquer une
pause et respirer.**

Le jeu de l'escargot

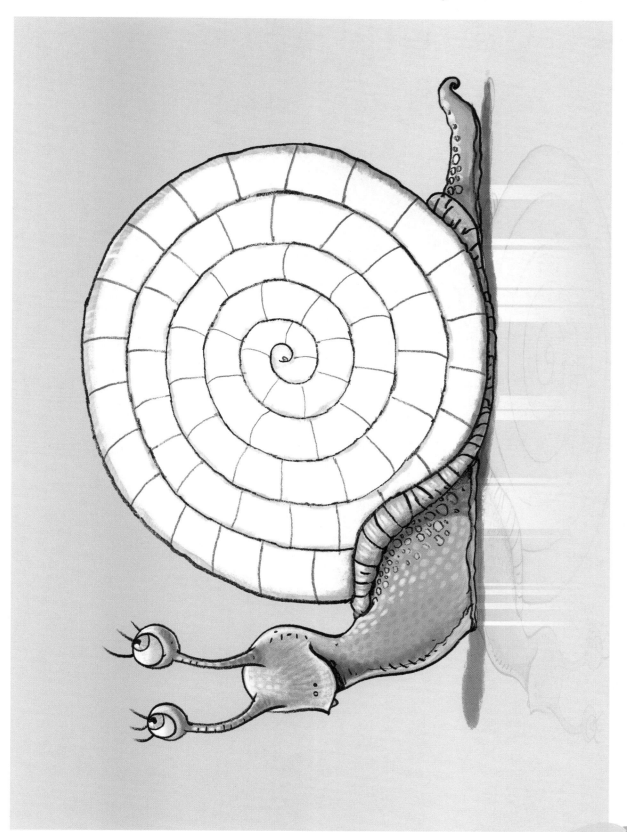

Roue des mots primaire – 1ᵉʳ disque

Roue des mots primaire – 2ᵉ disque

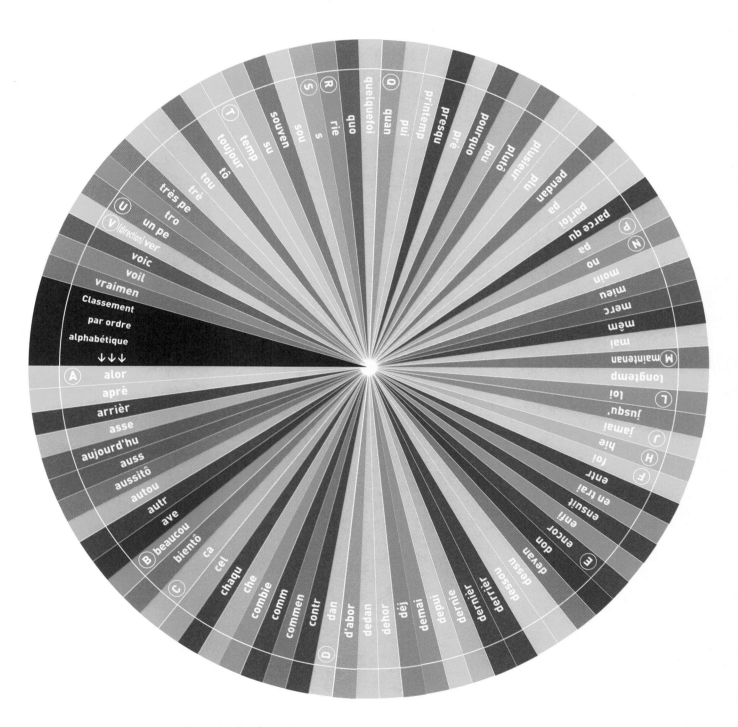

Roue des mots collège/lycée – 1er disque

Roue des mots collège/lycée – 2e disque

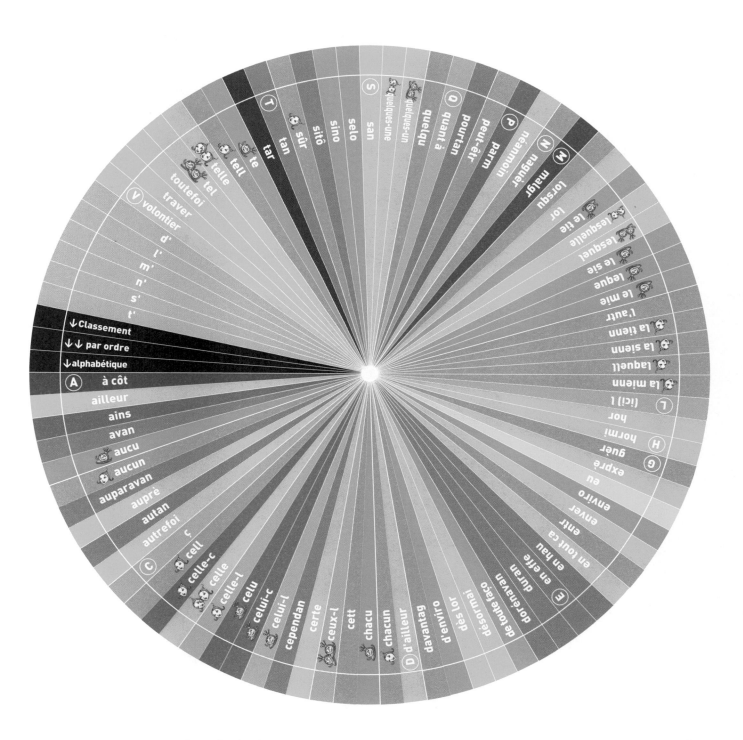

Montage des roues

1. Découpez les deux disques correspondant à la Roue des mots primaire et ceux correspondant à la Roue des mots collège/lycée.

2. Collez-les sur une surface cartonnée.

3. Faites un petit trou au milieu.

4. Accrochez les deux disques avec une attache parisienne.